LET'S HAVE FUN

Word Find Puzzles

by Janice Kinnealy

Watermill Press

HOW TO SOLVE
WORD FIND PUZZLES

Each puzzle has its own word list. All the words on the list are hidden somewhere in the puzzle. Words go in any direction—up, down, across, backwards, or diagonally—but always in a straight line. As you find each word, circle it, then cross it off the list. When you are finished, check the answers at the back of the book.

1
A-E-I-O-U

Aardvark

Accent

Advice

Amount

Eagle

Engine

Entrance

Evening

Iceberg

Ideal

Identity

Inch

Oasis

Object

Office

Olive

Ukulele

Uncle

Unicorn

Union

```
B  R  G  N  I  N  E  V  E  O  A  Z  E
U  B  C  D  K  W  J  B  L  A  X  B  C
K  U  E  E  L  C  N  U  R  S  Y  O  I
U  A  U  D  G  G  B  D  K  I  B  E  F
L  D  C  V  T  H  V  J  X  S  C  J  F
E  U  Y  B  C  A  Y  C  H  N  C  H  O
L  T  T  N  R  C  D  E  A  G  N  B  W
E  M  I  K  L  C  M  R  P  B  J  J  G
G  R  T  D  S  E  T  W  C  E  H  U  R
H  Q  N  F  C  N  J  M  C  J  N  N  E
E  P  E  B  E  T  B  T  C  I  D  I  B
J  N  D  V  G  R  C  D  O  E  L  C  E
K  N  I  H  I  D  H  N  L  J  D  O  C
L  L  B  G  C  J  C  G  B  G  B  R  I
O  M  O  Z  N  N  A  H  P  K  K  N  W
A  D  V  I  C  E  Q  T  N  U  O  M  A
```

Solution is on page 66.

5

2
A-Z Hodgepodge

Arcade	Night
Bottle	Opera
Cartoon	Penny
Dream	Rain
Foil	Shirt
Garden	Throne
Heart	Umbrella
Jeep	Vase
Lemon	Wallet
Mountain	Zoo

```
S H I R T K P E E J J F O
B D G H A R Y P S M O K D
N I A R X K S M I I R Q R
J R E R C D J N L K T B E
Z P E N N Y C O Y R B Z A
O S B P B M Z M A G X L M
N I G H T F N E D R A G F
I K Q T R G H L C O H D K
A L T E L L A W W Y G V H
T B D S O H E N O R H T N
N U A O P A M X L T J K O
U J Z B R V N E S A V P O
O N N C J J Q O N R V O T
M H A C R M U S T P W B R
B D L U M B R E L L A D A
E K M D E L T T O B C U C
```

Solution is on page 67.

3
African Safari

Antelope

Baboon

Bear

Bobcat

Elephant

Elk

Fox

Giraffe

Gorilla

Jaguar

Kangaroo

Leopard

Lion

Monkey

Moose

Orangutan

Ostrich

Otter

Tiger

Wolf

```
N S Y O O R A G N A K B N
X O T B Q J M K Z R B A P
G M I N E L F Q V R T Z E
C I R L A R H R P U G U F
B O Z L A H A R G K M L F
R A A E D O P N E S O W A
E T B R Q M A E N T S N R
J A V O E R F H L J T M I
M C N S O T V W A E R O G
M B O A I N G K L W I K B
I O B S W L K O R Q C H T
M B N L E O P A R D H I J
P J W K L E R F L I G M W
X A Z Y E Q K B L E L P G
O C J J F Y A F R O G L R
F Y S R A U G A J A W S A
```

Solution is on page 68.

9

4
The Bake Shop

Bagel

Bread

Brownie

Cakes

Cookies

Cupcakes

Danish

Donut

Éclair

Gingerbread

Jelly roll

Meringue

Napoleon

Pastry

Pies

Pound cake

Rolls

Shortcake

Tart

Turnover

```
E  B  M  D  A  E  R  B  D  T  R  A  T
C  L  C  S  R  B  R  T  U  N  O  D  F
L  G  N  A  P  O  L  E  O  N  B  J  B
A  I  T  P  W  P  L  K  C  E  G  A  A
I  N  C  N  A  H  U  L  N  Z  G  T  Y
R  G  I  J  L  B  V  M  S  E  S  R  E
M  E  R  I  N  G  U  E  L  K  E  X  K
F  R  B  K  H  R  O  R  R  K  M  N  A
Z  B  G  Y  U  S  E  K  A  C  P  U  C
J  R  P  L  M  V  I  C  T  R  I  B  D
M  E  V  A  O  Z  T  N  H  L  E  R  N
H  A  M  N  S  R  K  N  A  Z  S  W  U
B  D  R  E  O  T  S  R  D  D  M  O  O
N  U  K  H  P  Q  R  G  U  B  V  C  P
T  A  S  J  E  L  L  Y  R  O  L  L  B
C  O  Q  B  N  S  E  I  K  O  O  C  N
```

Solution is on page 69.

5
Behind the Scenes

Action	Microphone
Camera	Producer
Cast	Recorder
Commercial	Rehearsal
Crew	Replay
Director	Schedule
Edit	Screen
Film	Script
Headset	Sound
Lights	Tape

```
A C T I O N T A R E M A C
H N R R E C U D O R P S M
C I E S C S E R I L H I Z
A T C S C S K Y J N C M T
S R O T M R A H T R N S M
T V R H E L I G O X B P L
L B D L P E D P Y F L K I
A T E E T R H C T A P E F
I P R S S O U N D G S Z B
C D W H N Z B K Z T T R L
R E H E A R S A L E H M T
E E L U D E H C S R G E I
M H W L M W L D C R I P D
M P S K Z K A N M E L W E
O K S N E E R C S L S D J
C R E W H R O T C E R I D
```

Solution is on page 70.

6
Birds of a Feather

Bluebird	Meadowlark
Blue jay	Oriole
Cardinal	Pigeon
Crane	Roadrunner
Dove	Robin
Eagle	Sea gull
Goldfinch	Sparrow
Hawk	Swallow
Heron	Swift
Hummingbird	Wren

S	R	J	D	R	I	B	E	U	L	B	P	L
P	P	Z	R	M	N	A	N	L	R	H	W	S
B	N	A	H	L	G	P	U	K	M	O	R	H
M	F	C	R	L	N	G	W	L	L	M	E	D
H	N	Z	E	R	A	R	M	L	L	R	N	N
C	A	J	N	E	O	C	A	L	O	F	K	C
N	N	W	S	N	P	W	T	N	T	K	R	N
I	H	Q	K	G	S	I	P	T	F	I	W	S
F	H	U	M	M	I	N	G	B	I	R	D	L
D	R	M	S	L	T	Y	N	E	K	V	J	A
L	O	E	Y	P	A	I	Q	X	O	R	W	N
O	Z	V	L	J	B	L	T	E	P	N	S	I
G	W	R	E	O	X	S	Y	K	N	Z	R	D
L	H	U	R	G	I	R	Z	D	M	A	C	R
J	L	R	O	A	D	R	U	N	N	E	R	A
B	K	K	R	A	L	W	O	D	A	E	M	C

Solution is on page 71.

15

7
Camping Out

Backpack	Hunt
Campfire	Insects
Campground	Map
Canteen	Oil lamp
Clothes	Sleeping bag
Cooking	Stars
Fire	Tent
First aid	Trail
Fish	Vacation
Hike	Woods

```
H S I F G N I K O O C D B
C U U J S K D N E P B H A
B L N H K R M Y C R X L C
C T O T L I A R T J I P K
D S I T D I A T S R I F P
N R L G H F K I S G J B A
O Q L D L E N E E T N A C
I P A C M S S R Z Z L J K
T N M H E N W M L C R M R
A M P C N E R I F P M A C
C L T D P N K P J W T K N
A S G A B G N I P E E L S
V K R B Q M D C N T K G E
F J P T P B C T B H F S K
G H S A R S W O O D S U I
C A M P G R O U N D V R H
```

Solution is on page 72.

8
Candyland

Butterscotch

Caramel

Cherry

Chocolate

Fudge

Gumdrop

Jelly bean

Licorice

Lollipop

Marshmallow

Mint

Nonpareil

Nougat

Nut cluster

Peanut brittle

Peppermint

Ribbon

Taffy

Toffee

Vanilla

```
H C T O C S R E T T U B T
R S K P L M R Z N J S M A
C H O C O L A T E Y A H F
A N C L F N R L L R B L F
R I B B O N L W S R R I Y
A J N K L Y P H M E C E K
M L K R B O M T T H W R T
E N L E R A L S V C B A N
L W A D L D U L E H V P I
F N M L B L J C I A S N M
R U O B C G I K N P O O R
G W D T N R H I L U O N E
T P U G O M L M G N Q P P
G N J C E L Y A Z O B X P
T N I M A S T O F F E E E
E L T T I R B T U N A E P
```

Solution is on page 73.

9
Capital Cities

Albany	Madison
Augusta	Montgomery
Austin	Nashville
Boise	Olympia
Boston	Phoenix
Columbia	Providence
Denver	Raleigh
Frankfort	Sacramento
Helena	Topeka
Lansing	Trenton

```
A D E C N E D I V O R P A
B H E L E N A Z B C D U R
C H J N J R A L E I G H G
E L L I V H S A N U H L A
D S K V Y E F S S J P K N
A A M G R K R T R Q E Q K
I C N W E L A X T P U M N
B R P F M M N N O T S O B
M A Q X O N K T J H T A P
U M L D G O F W G N K I H
L E R A T Y O V E I L P O
O N S C N P R R E T D M E
C T T A O S T U F S V Y N
F O B Y M Q I T X U I L I
G L U B Z R S N Y A W O X
A N O S I D A M G Z B C B
```

Solution is on page 74.

10
Circus, Circus

Acrobat	High wire
Acts	Horses
Balloons	Monkeys
Bands	Music
Cheers	Parade
Clowns	Popcorn
Costumes	Rings
Crowd	Show
Elephants	Soda
Excitement	Trapeze

```
R J B S K Y L S R E E H C
D C T T R A P E Z E B L Z
C C S N S E M U T S O C K
A M G P B C D G H W J R L
R S N Q S Y E K N O M O R
T P I B Z M N S Y U P W Q
N S R S S T V D S J C D S
E L E V S X G I H H L S T
M K R S F D C S P X O M N
E B C M R T N Q N D H W A
T E D T S O W A A J W G H
I D G L O M H P B V F Y P
C A W L U N X L Z K D C E
X R L K Q N R O C P O P L
E A E R I W H G I H Z B E
B P H J R Y T A B O R C A
```

Solution is on page 75.

11
"Did You Hear That?"

Beep	Rustle
Buzz	Scurry
Chirp	Slam
Clap	Slurp
Crackle	Smack
Creak	Splash
Drip	Swish
Flap	Vroom
Growl	Whine
Hum	Whistle

```
H J G R O W L K B W C S R
M F Y S M P V D M H W J B
B D L F G R R H J I K L Y
H M N A O I P Q S N R R S
T U W O P X B H Y E R R V
S M M L Y K R F G U D U C
H P Z K B E E P C L R S Z
E Y M U R P J S D R S T F
L B Z D A G H J K L E L M
T Z E L T S U R Y L P A N
S Z C Q F Z X D K Q H R K
I S D H K C J C R S W T F
H P M C I Q A G A M S M B
W Q A V Y R U L U J A H V
R M S P C B P K H C L L N
S W N Y T S D F P R U L S
```

Solution is on page 76.

12
Dog Show

Afghan	Newfoundland
Beagle	Poodle
Boxer	Pug
Bulldog	Samoyed
Chihuahua	Schnauzer
Collie	Setter
Dachshund	Sheepdog
Dalmatian	Shepherd
Doberman	Spaniel
Mutt	Terrier

```
C X R E X O B N N G Y P M
C O K P C Z A M S S R R U
E W L F D M D P B X E P T
D L M L R J A M P T F J T
F Z D E I N C W T A C D H
G R B O I E H E F H N A Q
O O U E O Y S G I A R L O
D P L Y F P H H L V X M D
P J L J C A U D E V D A E
E R D C N A N D R R Z T Y
E E O P H U D K E W M I O
H I G U O M B H L T H A M
S R A F P D P M G G L N A
H R W L R E Z U A N H C S
T E Y R H Q P U E S T B Z
N T K S N L V I B R G J K
```

Solution is on page 77.

13
Football Facts

American League	National League
Bleachers	Play
Cheerleader	Quarterback
Coach	Score
Fans	Stadium
Field	Super Bowl
Football	Team
Fumble	Touchdown
Goal	Uniform
Helmet	Victory

```
T E M L E H L S Y I F H C
A E J Z Q F N L A R I H O
E Z A Y A A M G L B E S E
U R L M F L D J P E L L U
G P B X B U R K R Q D W G
A Q Y L N H M L F J K O A
E U M R E W E B Y I A B E
L A U W O A O X L L H R L
N R N N D T C D W E K E L
A T P E I O C H H L R P A
C E R V A F D I E C M U N
I R Q C C I O W V R U S O
R B H T D J E R O C S O I
E A S T A D I U M Y N X T
M C R W E K R Z I L T W A
A K L L A B T O O F U V N
```

Solution is on page 78.

14
"Fruit Basket"

Apple

Avocado

Banana

Cantaloupe

Cherry

Grape

Honeydew

Kiwi

Lemon

Lime

Mango

Orange

Papaya

Peach

Pear

Pineapple

Plum

Raspberry

Strawberry

Watermelon

```
K P Y R R E B P S A R H G
I N Q X P I N E A P P L E
W M R A H W D P F K P J F
I L R C X P A M E Y K N H
G G S F D P F G L R Q O O
H E T V A O N H W R N L N
E M V Y U A D N L E M E Y
P I A Q R V T A Y H M M R
U L W O P R G D C C X R O
O E U N W C E P K O U E G
L M X M A W H B W S V T N
A O B H M N V J W Y R A A
T N C Y C Z A R Z A W W M
N K D G H A U N R X R V Q
A P P L E K E M A N B T B
C J F J R A E P Q B P Y S
```

Solution is on page 79.

15
In . . .

And out	Mind
Appreciation	Need
Between	Recognition
Control	Sight
Deep	Step
Demand	The area
Doubt	Time
Gear	Trouble
Honor	Tune
Love	Turn

A	N	D	O	U	T	U	D	N	A	M	E	D
D	Z	B	W	U	T	G	B	D	N	E	H	O
R	B	V	R	H	F	S	E	M	L	J	K	U
G	P	N	X	O	J	E	C	B	P	L	M	B
H	N	T	B	V	N	R	U	Z	E	M	I	T
K	Q	O	C	K	L	O	D	S	Q	N	H	P
L	J	S	I	X	R	M	H	L	T	E	Q	X
O	O	R	F	T	W	Q	Y	H	A	E	Z	U
R	L	V	D	U	A	N	G	R	R	Y	P	Y
T	K	P	E	N	P	I	E	K	X	R	B	B
N	Y	N	G	E	S	A	C	W	S	E	V	T
O	H	L	D	Q	P	D	G	E	T	S	D	X
C	F	N	H	C	N	R	V	W	R	W	E	D
M	I	D	K	R	S	A	E	J	T	P	E	C
M	M	B	L	M	B	E	T	H	U	V	P	Z
N	O	I	T	I	N	G	O	C	E	R	W	A

Solution is on page 80.

33

16
Lost in the Stars

Astronomy

Big Dipper

Clouds

Comet

Constellation

Earth

Eclipse

Galaxy

Meteor

Milky Way

Moon

North Star

Orbit

Planets

Seasons

Sky

Stars

Sun

Universe

Venus

```
R  X  G  S  T  E  M  O  C  Z  P  E  A
S  M  U  G  H  E  O  L  T  N  B  S  M
K  N  A  D  T  D  O  C  S  O  T  R  Q
N  R  B  E  J  U  N  N  M  R  M  E  M
J  O  O  C  D  C  O  B  O  T  S  V  I
L  R  I  S  K  S  D  N  F  H  S  I  L
P  H  K  T  A  H  O  G  Y  S  U  N  K
S  T  L  E  A  M  W  D  J  T  N  U  Y
T  R  S  R  Y  L  H  J  C  A  E  V  W
E  A  Y  M  M  G  L  W  P  R  V  X  A
N  E  S  P  I  L  C  E  N  L  U  R  Y
A  N  C  J  T  Y  P  K  T  L  M  X  B
L  M  R  I  N  Q  K  R  V  S  A  V  K
P  S  B  S  R  A  T  S  Y  L  N  T  L
V  R  H  Z  Q  B  R  S  A  S  U  O  C
O  R  E  P  P  I  D  G  I  B  X  U  C
```

Solution is on page 81.

17
Math Class

Add	Plus
Book	Problems
Divide	Quiz
Equals	Remainder
Eraser	Ruler
Exercises	Solve
Minus	Subtract
Multiply	Sum
Pencil	Tablet
Percent	Test

```
Q  Z  T  B  C  S  U  L  P  R  C  F  T
B  U  D  E  F  Q  W  R  E  H  M  S  J
S  R  I  B  L  Z  O  P  N  D  E  L  C
S  D  N  Z  M  B  D  L  C  T  K  N  P
U  T  V  F  L  G  A  G  I  N  H  R  J
N  P  F  E  Q  K  E  T  L  R  E  L  E
I  M  M  N  P  Q  N  T  X  L  Y  D  E
M  S  V  Y  U  E  C  T  U  S  I  H  X
W  U  V  A  C  A  T  R  X  V  Y  S  E
G  R  L  R  R  E  D  N  I  A  M  E  R
L  S  E  T  E  D  B  D  C  W  Q  Z  C
W  P  B  H  I  V  L  J  D  L  C  J  I
N  U  S  B  X  P  H  Y  K  A  Z  B  S
S  O  L  V  E  C  L  R  E  S  A  R  E
P  U  R  T  Z  F  P  Y  W  K  L  H  S
J  Q  M  K  D  W  G  T  K  O  O  B  R
```

Solution is on page 82.

18
Opposites

Big	Laugh
Cold	Little
Cry	Mean
Day	Night
Fast	Sad
Fat	Short
Friendly	Skinny
Frown	Slow
Happy	Smile
Hot	Tall

```
Q G Y L D N E I R F J N B
Y P P A H D F Y B V I Z C
G R C H S A J B K G T L S
H D F P S H S N H M C Y L
Q O P T G A M T J R F M O
N J T R D S L C Y T C V W
T A L L G L D A D W G X R
M W L K X B Y V U Z Y P B
Y G I B K F W X J G H A B
N F D N W O R F G K H L D
N R G N C T M E R L S K J
I H D E T L V Q L S F Q N
K P S B R C K T P T Q W N
S J T M O R D L O C T A P
S A F G H N H K L J E I Z
F Q T C S D E L I M S B L
```

Solution is on page 83.

19
Outdoor Fun

Barbecue	Ketchup
Basket	Lemonade
Blanket	Mustard
Charcoal	Napkins
Corn on the cob	Picnic
Games	Plates
Grill	Salad
Hamburgers	Snacks
Hot dogs	Sunshine
Ice	Tables

```
S E M A G O K N E T R S B
J P B R D E U C E B R A B
Q H I C T M I J K Q L W L
L L R C B M Y S K C A N S
L Y H F N V C S Z A W S X
F U I L O I S G L N J R E
P Z C D U E C O M L B E N
L R S B T P T D O N C G I
A B L A N K E T M A M R H
O S L G H J D O E P B U S
C P B A Z R T H S K A B N
R D A L A S L L B I S M U
A G H T D K B R O N P A S
H M S P T A B L E S R H B
C U L E M O N A D E N B L
M B O C E H T N O N R O C
```

Solution is on page 84.

20
P.S.

Address	Salutation
Closing	Seal
Date	Signature
Dear	Sincerely
Deliver	Stamp
Envelope	Stationery
Greeting	Thank you
Ink	Write
Letter	Yours truly
Mail	Zip code

```
U O Y K N A H T L L S H J
S R G C K G R E E T I N G
I B R M J E T P K N G Q S
N S C D T T D O K P N T B
C M W I E P Y L W G A D Y
E N R R Z B O E H M T B L
R W F G C J L V P C U N U
E Q R H N X J N B E R O R
L S D E L I V E R K E I T
Y C P J Z N S D T N H T S
B T U D X S N O Z J P A R
K E G V E L R M L D L T U
D T N R M A I L P C S U O
L A D P Y R R B K Y L L Y
H D Z I P C O D E S E A L
A M Y R E N O I T A T S M
```

Solution is on page 85.

21
Plenty of Produce

Beans	Mushrooms
Broccoli	Onions
Cabbage	Peas
Carrots	Pepper
Cauliflower	Potato
Celery	Scallion
Corn	Squash
Cucumber	Tomato
Eggplant	Turnip
Lettuce	Zucchini

```
C B R E W O L F I L U A C
E H Z G Z R L E C G E T G
L C U G C D N H S N A E B
E Y C P E P P E R V Q R J
R O C L S M O O R H S U M
Y T H A U R M A Z R C R R
B A I N K X H B Q Y A B R
J M N T C K S P L X L L E
W O I L E T T U C E L K B
O T A T O P E S H O I S M
D O Q R O E H G W F O M U
T U R N I P R S A Y N A C
J A M S A V N N A B V P U
C L W P L R I E T U B E C
K S U D O N I O N S Q A U
B R O C C O L I T R N S C
```

Solution is on page 86.

22
The Printed Word

Adventure

Advertisement

Almanac

Biography

Books

Brochure

Card

Comics

Dictionary

Fiction

Flyer

History

Magazine

Mystery

Newspaper

Pamphlet

Paperback

Poster

Science

Text

```
B D Y H P A R G O I B T A
R O M P I Q X R Y Y S L U
O K O P O S T E R V M P D
C B Z K L W T A V A Y A R
H N N K S T N O N U S M A
U H E Y C O S A R Z T P C
R J O W I A C R Q Y E H S
E M K T S X B O P W R L E
C F C N C P W R M L Y E R
L I L B I M A V E I B T U
D C J Y R T X P J P C D T
K T P D E Y K D E H A S N
Q I F X G R U G C R C P E
S O T H S C I E N C E F V
N N T M A G A Z I N E B D
T N E M E S I T R E V D A
```

Solution is on page 87.

47

23
Red, White and Blue

Apple	Onion
Baseball	Paint
Cheese	Pepper
Cherry	Potato
Crayon	Rice
Flag	Sky
Flower	Snow
Gull	Strawberry
Igloo	Suds
Milk	Turnip

```
E H J Y L R E P P E P M B
R L K C B S P M R Z N A Y
B C P A I N T J P Q S V T
D G O P H M K N L E R S W
O K T J A H N G B F D C B
O L A M M O N A P Q S R Y
L S T T I V L W X B U C R
G K O N S L G H E J D K R
I L O Q T P K R C J S R E
G Y T U R N I P I P K P B
G B U O F C Y E R Q N V W
A C L V H Z D E S W L J A
L M W E X C W U H E O O R
F C R A Y O N G M T E N T
R R X K L B D N S Y R H S
Y S S F Y Z C L L U G B C
```

Solution is on page 88.

24
Rock and Roll—
Then and Now

America

Beach Boys

Beatles

Boston

Bruce
   Springsteen

Cars

Chuck Berry

Dave Clark Five

Doors

Eagles

Elvis

Fleetwood Mac

Heart

Kansas

Led Zeppelin

Pink Floyd

Rolling Stones

Van Halen

Who

Yes

```
V B A C I R E M A K N H V
V A A S T P K T R A E H J
Y R N R V J Q N U N E N F
S E C H W M H M L S T I L
E V S Q A J S N D A S L E
N I J S B L O T Y S G E E
O F D R Z T E R O Q N P T
T K K O S H S N L N I P W
S R L O Y E G X F W R E O
G A B D L D L O K C P Z O
N L E G J C D V N P S D D
I C A P W H O B I C E E M
L E T N R G F Y P S C L A
L V L Y R R E B K C U H C
O A E M W N B S D Z R F T
R D S Y O B H C A E B R G
```

Solution is on page 89.

25
School Days

Blackboard	Library
Books	Lunch
Chalk	Read
Coat room	Recess
Desk	Reports
Eraser	Students
Field trip	Study
Grades	Teacher
Graduation	Tests
Half day	Vacation

```
B R K M N M O O R T A O C
N L I B R A R Y R E Y C L
O V A C A T I O N D M B G
I L I C Y J C H U B D Y C
T Z D B K R L T C N M A C
A E C R K B S D M N B D M
U K A S T R O P E R U F R
D P B C T L G A G K E L W
A J I B H U R J R C H A C
R Y S R D E D R M D N H D
G K S C T M R E B Y A C T
P R P S G D C S N L G K T
B J A K E B L D K T C R E
R M S D C C R E B O S Q S
T E B M E L E R I D O S T
D N W R E S A R E F R B S
```

Solution is on page 90.

26
Sun and Surf

Beach	Sand
Boat	Seaweed
Clam	Shark
Crab	Shells
Fish	Shore
Flounder	Shrimp
Footprints	Starfish
Lobster	Swim
Rocks	Tide
Salt water	Waves

```
S K N F H D G P M I R H S
H R L O B S T E R K C Z B
E N Z O L P S W J S R W S
L R E T A W T L A S A C D
L F R P N B R B H V F N Y
S L M R O C K S E R Q V D
D S W I M K J S E L H G U
E C N N W Y P D G M P X J
E N R T L U N C K R A H S
W S I S M U E R O H S L W
A D H L O C B X D I N J K
E G L L H H S I F R A T S
S I F F C R A B D S C J O
Z M C B R O Y Q W M A L C
B O A T M T N V A C D B H
N C P O R H C A E B K G R
```

Solution is on page 91.

55

27
Table for Two

Banquet	Ice cream parlor
Beverage	Luncheonette
Check	Menu
Deli	Pizzeria
Dessert	Restaurant
Diner	Service
Entree	Table
Fast food	Tip
Host	Waiter
Hostess	Waitress

```
I E T T E N O E H C N U L
C R T S Z B U G C Q D R F
E Y B Q E G A R E V E B B
C R E T I A W W C X L A G
R L K C P V O H L P N M S
E F A S T F O O D Q H R W
A W M J O S N Z U Y O T U
M A H N T D A E D S S C N
P I E L B A T E E R T N E
A T C G F R M I B H E U M
R R I D G E B X P J S R Y
L E V C K N L F V B S T M
O S R C H I T R E S S E D
R S E B L D K D J B P K L
K H S E J P I Z Z E R I A
C L D T N A R U A T S E R
```

Solution is on page 92.

57

28
Track and Field

Baton	Meter
Discus	Mile
Distance	Race
Events	Record
Field	Relay
Hurdles	Runner
Javelin	Sprinter
Laps	Stopwatch
Line	Team
Meet	Track

```
N O T A B S L S U C S I D
D G H M W A R Q W P H M D
A Z L M P W Y R Y C F K R
T C I S P R I N T E R K O
B L N U J N P A N B C B C
E A E M R F W J D A S G E
T R B E T P A V R L M V R
E V T B O V E T T M E D L
E E P T E S K L L N Y I C
M K S L L E S E T M R Z F
R T I M A E T S Y Z L N K
N N M K L R N R D A E B H
J L J D S E A Z T N L L N
M Z R M C M C E J R K E P
T U C A D R U N N E R S R
H P R H R E C N A T S I D
```

Solution is on page 93.

29
Trees

Apple	Mimosa
Birch	Oak
Cedar	Palm
Cherry	Pine
Chestnut	Plum
Cottonwood	Redwood
Dogwood	Sequoia
Elm	Sycamore
Evergreen	Walnut
Maple	Weeping Willow

```
B  W  C  D  G  K  E  L  P  P  A  L  W
R  A  H  O  Q  B  P  D  M  F  A  E  N
S  L  E  N  T  U  C  D  H  W  E  L  G
T  N  R  T  M  T  O  B  V  P  N  X  M
U  U  R  J  K  G  O  L  I  I  I  M  P
N  T  Y  E  W  Y  T  N  S  R  Q  N  L
T  B  Z  O  D  N  G  M  W  H  C  E  E
S  V  O  J  N  W  A  H  T  O  I  H  Z
E  D  M  G  I  E  O  S  X  W  O  A  K
H  D  U  L  M  W  E  O  O  J  V  D  Y
C  G  L  H  R  Q  C  R  D  M  Q  N  E
B  O  P  R  U  L  K  P  G  X  I  L  D
W  Z  K  O  A  W  P  K  L  R  P  M  J
C  G  I  F  M  D  M  R  N  A  E  L  B
F  A  B  R  S  H  E  L  M  H  C  V  G
Y  D  E  R  O  M  A  C  Y  S  S  F  E
```

Solution is on page 94.

30
"Trick or Treat"

Candy	October
Costume	Party
Eerie	Pumpkin
Ghost	Scare
Goblin	Scream
Halloween	Skeleton
Haunt	Skull
Jack-o'-lantern	Spook
Make-up	Treats
Monster	Witch

```
E H C C S H R Y Z C R J H
N E D C N M T J O L M A K
L I A H S R C S C W L C B
R R K L A Z T P C L R K Q
E E N P J U M B O R H O D
O E Y U M M N W T Q E L J
J P R E H U E T M G S A P
S Z G K R E P F D H W N M
T Q L A N J D W N C O T F
A S M M N N R E R T R E H
E Y O F P E I S E I N R Q
R D N H B K T L A W T N L
T N S O G D E T B T V L J
P A T N L K Y B V O U S N
M C E Z S P O O K K G Q M
O L R M D V W A S M B R P
```

Solution is on page 95.

31
The Wild West

Boots	Lasso
Branding	Mule
Bridles	Ranch
Bronco	Rope
Cattle	Roundup
Corral	Saddles
Cowboy	Spurs
Cowhand	Steer
Cows	Stetson
Horse	Stirrup

```
S T O O B C D L A R R O C
B N W K O Z X B U F B A F
G M L W Y R E E T S T S C
J H B H E D C P V T D T O
D O J Q M T U S L S H E W
Y R R U P R P E G G W T S
C S L U R U O L H C F S R
K E V I R Y D N A H W O C
G W T S N K M J C Z B N S
N S R O U N D U P D K R S
I O T R S E L D D A S Q E
D P Q H D V P L O S S A L
N W H C N A R M S N T P D
A S G B C O U R W M U X I
R L C B P D J T L K S M R
B F Z E R M S O C N O R B
```

Solution is on page 96.

A-E-I-O-U

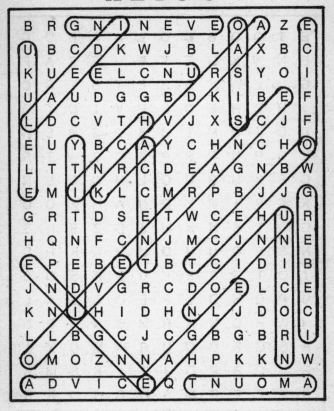

```
B  R  G  N  I  N  E  V  E  O  A  Z  E
U  B  C  D  K  W  J  B  L  A  X  B  C
K  U  E  E  L  C  N  U  R  S  Y  O  I
U  A  U  D  G  G  B  D  K  I  B  E  F
L  D  C  V  T  H  V  J  X  S  C  J  F
E  U  Y  B  C  A  Y  C  H  N  C  H  O
L  T  T  N  R  C  D  E  A  G  N  B  W
E  M  I  K  L  C  M  R  P  B  J  J  G
G  R  T  D  S  E  T  W  C  E  H  U  R
H  Q  N  F  C  N  J  M  C  J  N  N  E
E  P  E  B  E  T  B  T  C  I  D  I  B
J  N  D  V  G  R  C  D  O  E  L  C  E
K  N  I  H  I  D  H  N  L  J  D  O  I
L  L  B  G  C  J  C  G  B  G  B  R  I
O  M  O  Z  N  N  A  H  P  K  K  N  W
A  D  V  I  C  E  Q  T  N  U  O  M  A
```

2
A-Z Hodgepodge

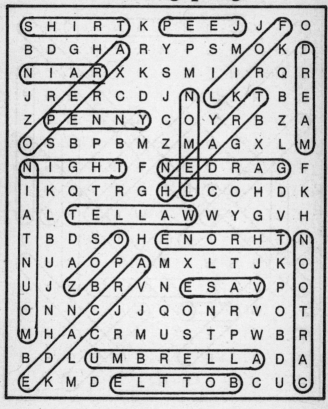

```
S H I R T  K  P E E J  J  F  O
B D G H A R Y P S M O K  D
N I A R X K S M I I R Q  R
J R E R C D J N L K T B  E
Z P E N N Y C O Y R B Z  A
O S B P B M Z M A G X L  M
N I G H T F N E D R A G  F
I K Q T R G H L C O H D K
A L T E L L A W W Y G V H
T B D S O H E N O R H T  N
N U A O P A M X L T J K  O
U J Z B R V N E S A V P  O
O N N C J J Q O N R V O  T
M H A C R M U S T P W B  R
B D L U M B R E L L A D  A
E K M D E L T T O B C U  C
```

3
African Safari

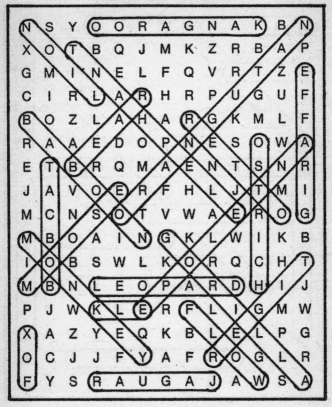

4
The Bake Shop

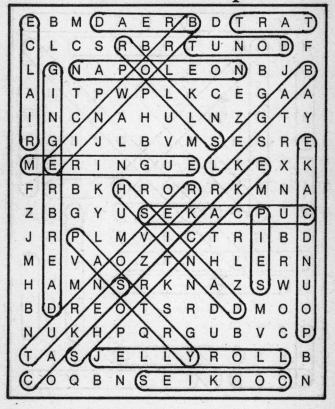

E B M D A E R B D T R A T
C L C S R B R T U N O D F
L G N A P O L E O N B J B
A I T P W P L K C E G A A
I N C N A H U L N Z G T Y
R G I J L B V M S E S R E
M E R I N G U E L K E X K
F R B K H R O R R K M N A
Z B G Y U S E K A C P U C
J R P L M V I C T R I B D
M E V A O Z T N H L E R N
H A M N S R K N A Z S W U
B D R E O T S R D D M O O
N U K H P Q R G U B V C P
T A S J E L L Y R O L L B
C O Q B N S E I K O O C N

5
Behind the Scenes

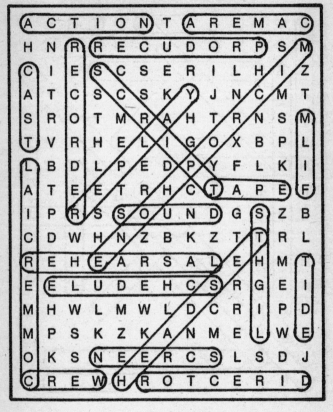

```
A C T I O N T A R E M A C
H N R R E C U D O R P S M
C I E S C S E R I L H I Z
A T C S C S K Y J N C M T
S R O T M R A H T R N S M
T V R H E L I G O X B P L
L B D L P E D P Y F L K I
A T E E T R H C T A P E F
I P R S O U N D G S Z B
C D W H N Z B K Z T T R L
R E H E A R S A L E H M T
E E L U D E H C S R G E I
M H W L M W L D C R I P D
M P S K Z K A N M E L W E
O K S N E E R C S L S D J
C R E W H R O T C E R I D
```

Birds of a Feather

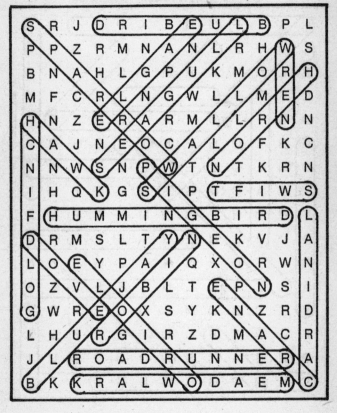

7
Camping Out

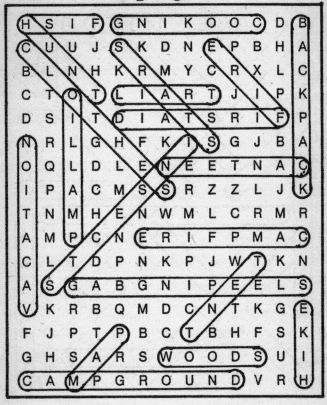

H S I F G N I K O O C D B
C U U J S K D N E P B H A
B L N H K R M Y C R X L C
C T O T L I A R T J I P K
D S I T D I A T S R I F P
N R L G H F K I S G J B A
O Q L D L E N E E T N A C
I P A C M S S R Z Z L J K
T N M H E N W M L C R M R
A M P C N E R I F P M A C
C L T D P N K P J W T K N
A S G A B G N I P E E L S
V K R B Q M D C N T K G E
F J P T P B C T B H F S K
G H S A R S W O O D S U I
C A M P G R O U N D V R H

8
Candyland

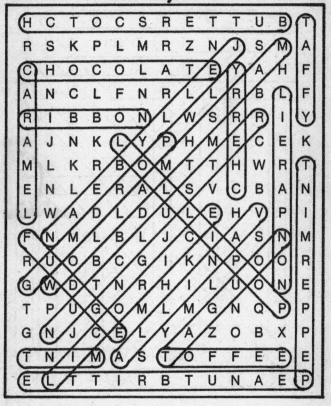

```
H C T O C S R E T T U B   T
R S K P L M R Z N J S M   A
C H O C O L A T E Y A H   F
A N C L F N R L L R B L   F
R I B B O N L W S R R I   Y
A J N K L Y P H M E C E   K
M L K R B O M T T H W R   T
E N L E R A L S V C B A   N
L W A D L D U L E H V P   I
F N M L B L J C I A S N   M
R U O B C G I K N P O O   R
G W D T N R H I L U O N   E
T P U G O M L M G N Q P   P
G N J C E L Y A Z O B X   P
T N I M A S T O F F E E   E
E L T T I R B T U N A E   P
```

9
Capital Cities

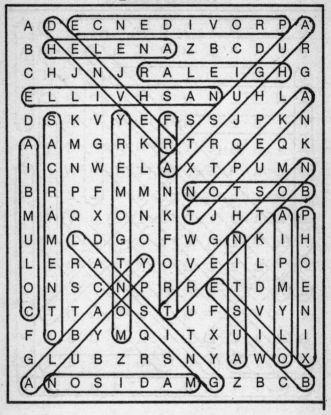

```
A D E C N E D I V O R P A
B H E L E N A Z B C D U R
C H J N J R A L E I G H G
E L L I V H S A N U H L A
D S K V Y E F S S J P K N
A A M G R K R T R Q E Q K
I C N W E L A X T P U M N
B R P F M M N N O T S O B
M A Q X O N K T J H T A P
U M L D G O F W G N K I H
L E R A T Y O V E I L P O
O N S C N P R R E T D M E
C T T A O S T U F S V Y N
F O B Y M Q I T X U I L I
G L U B Z R S N Y A W O X
A N O S I D A M G Z B C B
```

Circus, Circus

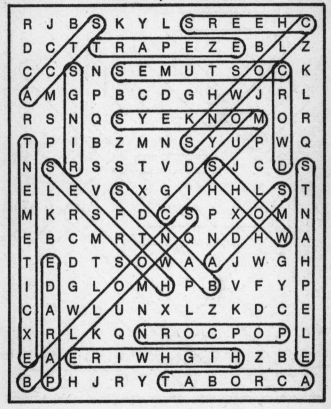

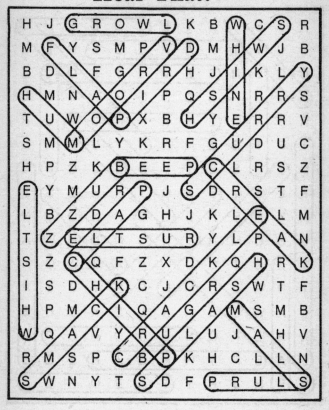

12
Dog Show

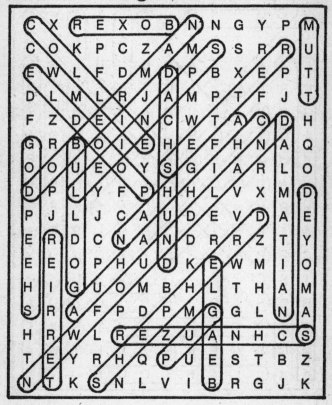

```
C X R E X O B N N G Y P M
C O K P C Z A M S S R R U
E W L F D M D P B X E P T
D L M L R J A M P T F J T
F Z D E I N C W T A C D H
G R B O I E H E F H N A Q
O U U E O Y S G I A R L O
D P L Y F P H H L V X M D
P J L J C A U D E V D A E
E R D C N A N D R R Z T Y
E E O P H U D K E W M I O
H I G U O M B H L T H A M
S R A F P D P M G G L N A
H R W L R E Z U A N H C S
T E Y R H Q P U E S T B Z
N T K S N L V I B R G J K
```

77

13
Football Facts

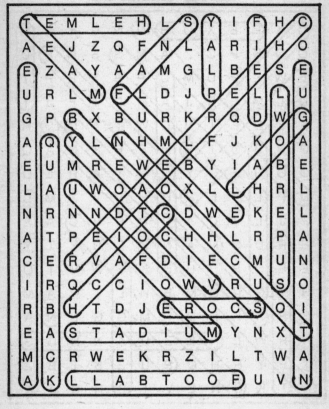

14
"Fruit Basket"

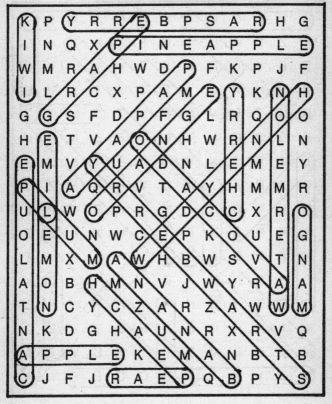

15

In . . .

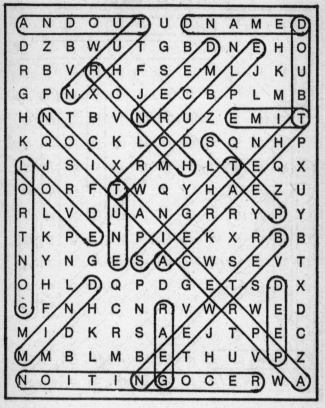

```
A N D O U T U D N A M E D
D Z B W U T G B D N E H O
R B V R H F S E M L J K U
G P N X O J E C B P L M B
H N T B V N R U Z E M I T
K Q O C K L O D S Q N H P
L J S I X R M H L T E Q X
O O R F T W Q Y H A E Z U
R L V D U A N G R R Y P Y
T K P E N P I E K X R B B
N Y N G E S A C W S E V T
O H L D Q P D G E T S D X
C F N H C N R V W R W E D
M I D K R S A E J T P E C
M M B L M B E T H U V P Z
N O I T I N G O C E R W A
```

16
Lost in the Stars

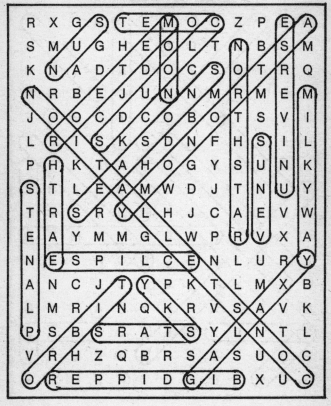

17
Math Class

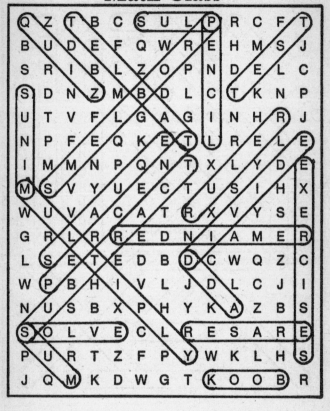

```
Q Z T B C S U L P R C F T
B U D E F Q W R E H M S J
S R I B L Z O P N D E L C
S D N Z M B D L C T K N P
U T V F L G A G I N H R J
N P F E Q K E T L R E L E
I M M N P Q N T X L Y D E
M S V Y U E C T U S I H X
W U V A C A T R X V Y S E
G R L R R E D N I A M E R
L S E T E D B D C W Q Z C
W P B H I V L J D L C J I
N U S B X P H Y K A Z B S
S O L V E C L R E S A R E
P U R T Z F P Y W K L H S
J Q M K D W G T K O O B R
```

18
Opposites

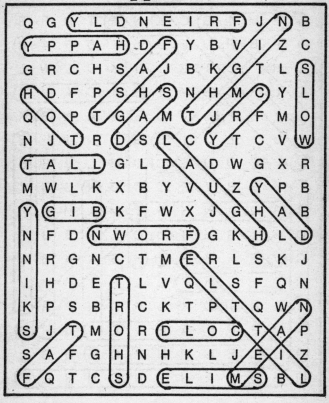

19
Outdoor Fun

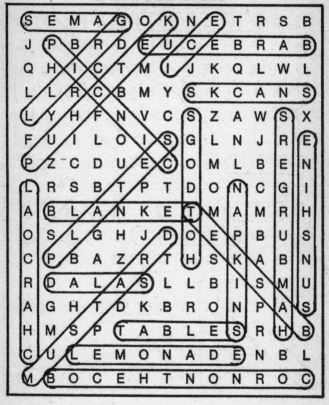

```
S E M A G O K N E T R S B
J P B R D E U C E B R A B
Q H I C T M I J K Q L W L
L L R C B M Y S K C A N S
L Y H F N V C S Z A W S X
F U I L O I S G L N J R E
P Z C D U E C O M L B E N
L R S B T P T D O N C G I
A B L A N K E T M A M R H
O S L G H J D O E P B U S
C P B A Z R T H S K A B N
R D A L A S L L B I S M U
A G H T D K B R O N P A S
H M S P T A B L E S R H B
C U L E M O N A D E N B L
M B O C E H T N O N R O C
```

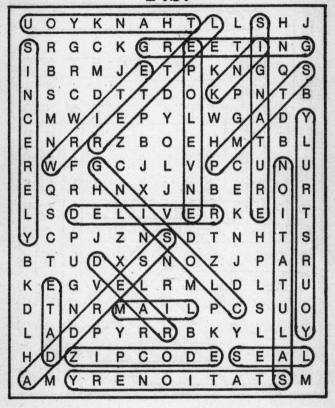

```
U O Y K N A H T L L S H J
S R G C K G R E E T I N G
I B R M J E T P K N G Q S
N S C D T T D O K P N T B
C M W I E P Y L W G A D Y
E N R R Z B O E H M T B L
R W F G C J L V P C U N U
E Q R H N X J N B E R O R
L S D E L I V E R K E I T
Y C P J Z N S D T N H T S
B T U D X S N O Z J P A R
K E G V E L R M L D L T U
D T N R M A I L P C S U O
L A D P Y R R B K Y L L Y
H D Z I P C O D E S E A L
A M Y R E N O I T A T S M
```

21
Plenty of Produce

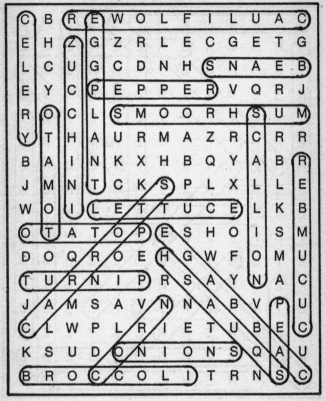

```
C  B  R  E  W  O  L  F  I  L  U  A  C
E  H  Z  G  Z  R  L  E  C  G  E  T  G
L  C  U  G  C  D  N  H  S  N  A  E  B
E  Y  C  P  E  P  P  E  R  V  Q  R  J
R  O  C  L  S  M  O  O  R  H  S  U  M
Y  T  H  A  U  R  M  A  Z  R  C  R  R
B  A  I  N  K  X  H  B  Q  Y  A  B  R
J  M  N  T  C  K  S  P  L  X  L  L  E
W  O  I  L  E  T  T  U  C  E  L  K  B
O  T  A  T  O  P  E  S  H  O  I  S  M
D  O  Q  R  O  E  H  G  W  F  O  M  U
T  U  R  N  I  P  R  S  A  Y  N  A  C
J  A  M  S  A  V  N  N  A  B  V  P  U
C  L  W  P  L  R  I  E  T  U  B  E  C
K  S  U  D  O  N  I  O  N  S  Q  A  U
B  R  O  C  C  O  L  I  T  R  N  S  C
```

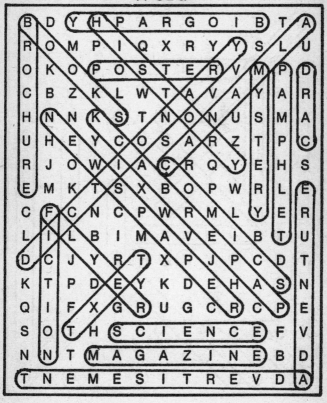

23
Red, White
and Blue

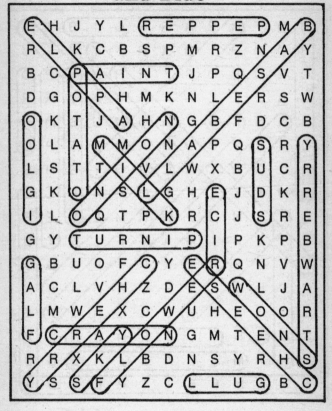

24
Rock and Roll—
Then and Now

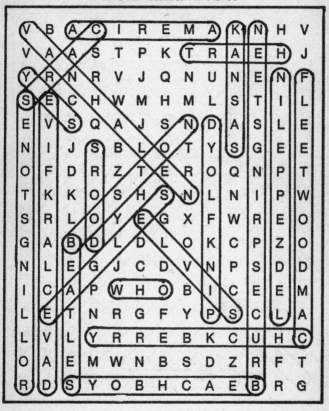

```
V B A C I R E M A K N H V
V A A S T P K T R A E H J
Y R N R V J Q N U N E N F
S E C H W M H M L S T I L
E V S Q A J S N D A S L E
N I J S B L O T Y O G E T
O F D R Z T E R O Q N P W
T K K O S H S N L N I P O
S R L O Y E G X F W R E O
G A B D L D L O K C P Z D
N L E G J C D V N P S D M
I C A P W H O B I C E E A
L E T N R G F Y P S C L H
L V L Y R R E B K C U H C
O A E M W N B S D Z R F T
R D S Y O B H C A E B B R G
```

89

School Days

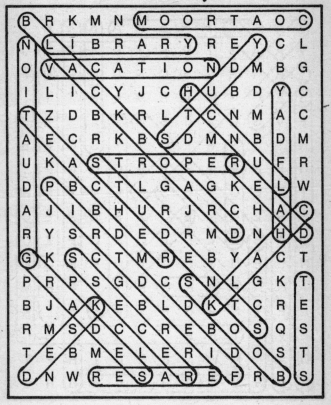

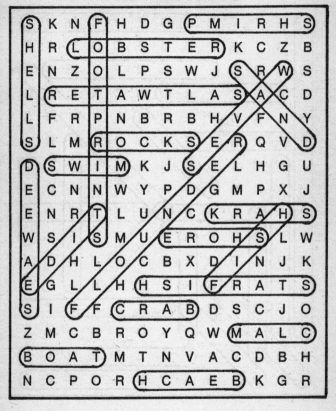

26
Sun and Surf

```
S  K  N  F  H  D  G  P  M  I  R  H  S
H  R  L  O  B  S  T  E  R  K  C  Z  B
E  N  Z  O  L  P  S  W  J  S  R  W  S
L  R  E  T  A  W  T  L  A  S  A  C  D
L  F  R  P  N  B  R  B  H  V  F  N  Y
S  L  M  R  O  C  K  S  E  R  Q  V  D
D  S  W  I  M  K  J  S  E  L  H  G  U
E  C  N  N  W  Y  P  D  G  M  P  X  J
E  N  R  T  L  U  N  C  K  R  A  H  S
W  S  I  S  M  U  E  R  O  H  S  L  W
A  D  H  L  O  C  B  X  D  I  N  J  K
E  G  L  L  H  S  I  F  R  A  T  S
S  I  F  F  C  R  A  B  D  S  C  J  O
Z  M  C  B  R  O  Y  Q  W  M  A  L  C
B  O  A  T  M  T  N  V  A  C  D  B  H
N  C  P  O  R  H  C  A  E  B  K  G  R
```

27
Table for Two

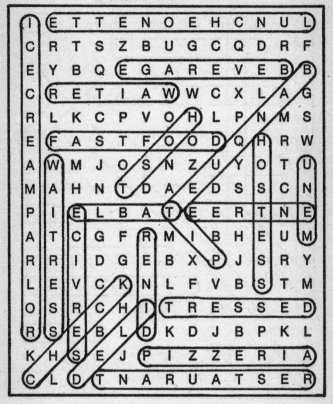

```
I  E T T E N O E H C N U L
C  R T S Z B U G C Q D R F
E  Y B Q E G A R E V E B B
C  R E T I A W W C X L A G
R  L K C P V O H L P N M S
E  F A S T F O O D Q H R W
A  W M J O S N Z U Y O T U
M  A H N T D A E D S S C N
P  I E L B A T E E R T N E
A  T C G F R M I B H E U M
R  R I D G E B X P J S R Y
L  E V C K N L F V B S T M
O  S R C H I T R E S S E D
R  S E B L D K D J B P K L
K  H S E J P I Z Z E R I A
C  L D T N A R U A T S E R
```

Track and Field

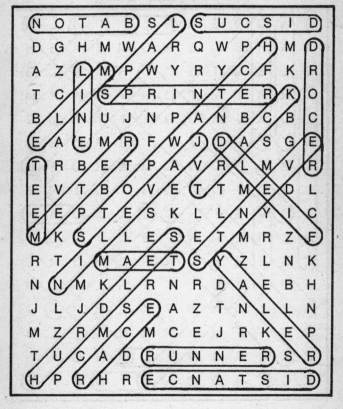

```
N O T A B S L S U C S I D
D G H M W A R Q W P H M D
A Z L M P W Y R Y C F K R
T C I S P R I N T E R K O
B L N U J N P A N B C B C
E A E M R F W J D A S G E
T R B E T P A V R L M V R
E V T B O V E T T M E D L
E E P T E S K L L N Y I C
M K S L L E S E T M R Z F
R T I M A E T S Y Z L N K
N N M K L R N R D A E B H
J L J D S E A Z T N L L N
M Z R M C M C E J R K E P
T U C A D R U N N E R S R
H P R H R E C N A T S I D
```

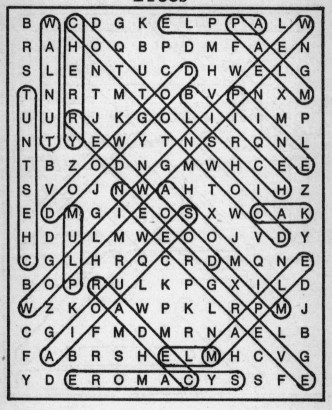

30
"Trick or Treat"

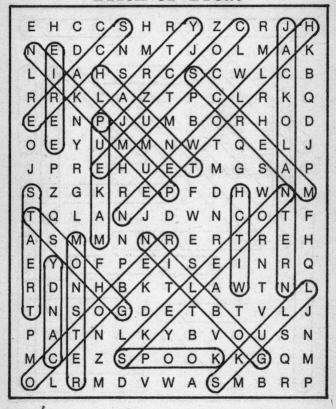

31
The Wild West

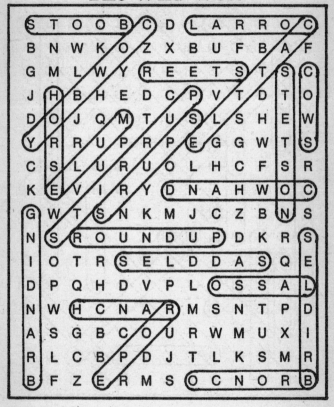